新潮文庫

ぼくの小鳥ちゃん

江國香織著

ぼくの小鳥ちゃん

イラストレーション・荒井良二

小鳥ちゃんはいきなりやってきた。

雪の降る寒い朝で、ぼくはいつものように窓のまえに立ち、泡の立ったミルクコーヒーを啜《すす》っていた。どうして窓のまえかというとそこにヒーターがあるからで、ヒーターは旧式の、幅が10センチくらいあるクリーム色の金属のやつだ。冬の朝はそこに立ってコーヒーをのむことにきめている。窓がくもっていいかんじだし、足元があたたかくてみちたりた気持ちになる。

空は鈍色《にびいろ》の雲におおわれて、低くしずかにたれこめていた。

ぼくの部屋はアパートの5階で、遠くまで町が見渡せる。たくさんの屋根、綿虫みたいにぼやぼやとただよっている無数の小さな白いかたまり。

ぼくは窓をあけた。鉄の枠をはめた窓は把手《とって》つきの押し上げ式で、あけるときにぎりりと音がする。

つめたい空気が顔にぶつかり、雪の町の匂《にお》いがした。信号の緑がドロップのようにきれいにみえる。コーヒーであたたまったぼくのくちびるに、冷気がさっとあつまってきた。

音楽をかけようとして部屋の奥にいきかけたとき、背中ごしにかたんと音がきこえた。なにかが窓ガラスにぶつかった音。ふりむくと、窓枠に小鳥ちゃんがおっこちていた。不時着。ちょうどそんな感じだ。

体長約10センチ、まっしろで、くちばしと、いらくさのようにきゃしゃな脚だけが濃いピンク色をしている。

「いやんなっちゃう。中途半端《はんぱ》な窓のあけ方」

不満そうにぴちゅぴちゅぴちゅ鳴いて、小鳥ちゃんは羽根をひろげて体をぶるぶるっと震わせた。

「もちろん」

体勢をととのえ、たったいま自分がやってきた窓の外をみながら、小鳥ちゃんは言う。

「もちろん、あたしだってもっとお天気のいい日なら、ずっとなめらかに着地できるのよ。5センチ四方の金網の目だってくぐれるんだから」

小鳥ちゃんのうしろ姿はきゃしゃで小さくて、それでいて肩のあたりにきちんと筋肉がついていて、それはなんだか奇跡のようなことに思えた。

小鳥ちゃんは、いつまでもおもてを眺めている。羽根を行儀よく背中にそろえ、身じろぎもせずに。

鈍色の空では雪が風にまいつづけ、町はすっかり色をうしなって、どこまでもつらなる屋根屋根と、ときどき車がスピードをあげて通過する、黒く濡《ぬ》れた道路とがみえる。

「はぐれちゃった」

窓の外をじっとみたまま、小鳥ちゃんはぽつんと言った。けれどそれはすこしもかなしそうじゃなく、むしろなんだかうれしそうな、すくなくともさっぱりした言い方だった。

「はぐれたって、誰と？」

「家族や、ともだちや、みんなと。わかるでしょ」

小鳥ちゃんは部屋のなかにむきなおり、天井をみあげて、いい部屋ね、と言った。あたたかくて、いい部屋ね。

ぼくはちょっとどぎまぎしたが、せいいっぱい落着き払って、ありがとう、とこたえた。手のなかの、泡立った熱いコーヒーをみおろしながら。

「とくにこれはいいみたい。すてきなベッドになるわ。ちょっと綿をつめてもらえれば」

ベッドわきのテーブルにおいた小さなバスケットの上にのり、小鳥ちゃんは言った。

「それはどうかな」

ぼくは首をかしげる。

「ベッドにしてあげたいのはやまやまだけど、ぼくのじゃないんだ、それ」

バスケットは、ぼくのガールフレンドの忘れものだった。ふたをあけると、ハンカチとティッシュ、口紅と財布と運転免許証が入っている。ハンカチは、水色の地に白い水玉模様のついたやつだ。

小鳥ちゃんはバスケットを一瞥《いちべつ》すると、

「ふうん、そうなの」

と、さもばかにしたように言う。

「あたし、教会を探しているうちに迷子になっちゃったの。あなた、教会を知らない?」

教会。

ぼくは黙った。信心深いたちではないのでくわしくは知らないが、教会には宗

派というのがあって、みんなそれぞれ自分の所属する宗派の教会にいく。

「どういう教会？」

ぼくが訊《き》くと、小鳥ちゃんは、

「美しいやつ」

と、即答し、

「もちろんオルガンがなきゃだめよ」

とつけたした。

「それなら簡単だ」

ぼくは、アパートから南へ20分ほど歩いたところにある教会の名前を言った。百合《ゆり》の花を抱えたマリア像のある教会だ。

「よかった」

小鳥ちゃんはほっとしたようだった。

「午後にでも案内してくださる？」

えっ、と言って、ぼくはまた黙った。小鳥ちゃんはすましている。

「そうしたいのはやまやまなんだけど、これから仕事にいかなくちゃならないんだ」

ぼくはテキスタイルデザインの会社につとめている。厚ぼったいクリーム色の地に青い模様の入ったこの部屋のカーテンは、この冬のわが社の新製品だ。

「ふうん、そうなの」

小鳥ちゃんは、さもばかにしたように言う。

「じゃあ仕方ないわね」

「地図をかこうか？」

ぼくが提案すると、小鳥ちゃんはぷいと横をむいてしまった。この提案は気に入らなかったらしい。

「土曜日まで待ってもらえれば案内するけれど」

小鳥ちゃんは顔をあげ、

「きょうは何曜日？」

と訊く。

「水曜日」

この上なくもったいぶった顔つきで、

「待ってもいいわ」

と、小鳥ちゃんは言った。


そこで、ぼくたちは一緒にごはんをたべた。台所のヒーターのそばに立ち、外をみながら。

立ったままたべるのはお行儀がわるい、と、ぼくはぼくのガールフレンドにいつも叱《しか》られるのだけれど、どっちみち朝はクロワッサンだけなので、わざわざテーブルに食器をならべるまでもないのだ。あたたかなパンくずを窓台にまいてやると、小鳥ちゃんはすこしついばんだ。

WED
NES
DAY

「お水をちょうだい」

小鳥ちゃんは言い、ぼくが冷蔵庫からミネラルウォーターをだそうとすると、

「水道水でけっこうよ」

と、きっぱりした調子で言う。

「あたしはそのへんのひよわな小鳥とはちがうんだから」

憤慨したのか胸をふくらませ、翼を一度大きくひろげる。その拍子に写真立てをたおしてしまう。

秋に美術館で撮った写真で、写真を飾るのはぼくではなく彼女の趣味だ。台所の窓とベッドサイドと洗面所のキャビネットのなか。ぼくの部屋には合計3個の写真立てがある。

「失礼」

小鳥ちゃんは言った。

ぼくの彼女は、ぼくの会社のとなりのビルで働いている。タイピストだ。タイプの腕はたいしたもので、1分間に60語もうつことができる。ほかに料理も整理整頓《せいとん》も、ほころびを縫うのもとても上手だ。能力を問われるおよそありとあらゆることに、彼女はその才能を発揮する。

ひるやすみ、ぼくたちは待ちあわせをして一緒におひるごはんをたべる。公園の芝生やカフェのひさしの下、あるいはうすぐらいピザ屋の奥のブースなんかで。きょうはブースだった。あかい合成革ばりの長椅子《ながいす》。

「クロワッサン？」

彼女は目をまるくして、非難がましくぼくの顔をみた。

「小鳥にそんなものをやるなんてどうかしてるわ。塩分がつよすぎるもの」

ぼくたちは食後のコーヒーをのんでいるところだ。ぼくはミルクと砂糖をいれて、彼女はミルクだけたっぷりいれて。

「小鳥がやってきたんならまき餌《え》がいるわ。ペットショップで買わなくちゃだめ。

それがかれらの主食なんだから」

　彼女が小鳥にくわしくてもぼくはおどろかない。なんにでもくわしいんだ彼女は。

「それから青い野菜。レタスとか大根葉とか。野菜は人間のからだにいいのとおんなじように、小鳥のからだにもいいのよ」

　彼女はハンドバッグから紙とボールペンをだし、ぼくがきょうペットショップで買うべきもののリストを作成してくれた。
・まき餌
・ボレー粉
・じゅうぶん運動ができるひろさの鳥かご（止まり木つきのもの）
・えさ入れ、水入れ
　彼女の指はきゃしゃで、爪《つめ》にごくうすいピンク色のマニキュアがぬってある。指輪はしない。タイプをうつとき邪魔になるからだ。

PIZ

「この、ボレー粉っていうのはなにかな」

あまり興味がなかったけれど、ぼくはいちおう質問した。

「カルシウムが摂《と》れる粉よ。とっても大事なものだから、まき餌にまぜるんじゃなくて、専用の容器にいれて毎日かならず与える必要があるの」

「ありがとう」

ぼくは言い、メモをたたんでポケットにしまった。

朝の雪は雨にかわっている。

彼女とぼくは、知りあってもうじき一年になる。彼女は、花で言うと黄色いカーネーションのように清潔で、数字で言うと2のように気がきいている。

食事をするとき、彼女はかならず膝《ひざ》にハンカチをひろげる。端がスカラップになったまっしろなハンカチだ。どんなときでもぱりっとアイロンがかかっている。

「スーパーマーケットに強盗が入ったんですって」

彼女は遠い町の名前を言った。

「犯人はわかい男の二人組で、オートバイに乗って逃走中」

ぼくの彼女は毎朝かかさず新聞を読む。

彼女は母親と二人暮らしだ。

彼女の母親は小柄で陽気、髪をあかるい茶色に染めていて、料理上手で部屋をいつもあたたかく――むろん加湿もおこたらずに――たもち、ぼくがたずねていくと、両方の頬《ほお》にキスをしてくれる。

「さて。いかなくちゃ」

ぼくたちのひるやすみはきっかり一時間だ。彼女は膝のハンカチをたたんで立ちあがる。

「帰りにペットショップによるのを忘れないでね」

「わかった。ボレー粉だね」

「そう、ボレー粉」

彼女はにっこりした。

おもてにでると、ぼくたちは寒さに首をすくめた。雨足はちっとも弱まらない。くろぐろと濡《ぬ》れてひかるアスファルトの地面。

「じゃあ」

「じゃあ」

ぼくたちは傘を持っていないほうの手をかるくあげ、それぞれの仕事場に戻る。彼女はいきおいよく歩く。レインブーツをはいているので、はねがあがってもぜんぜん気にしない。

夕方、ぼくは彼女に言われたとおり、ペットショップによってボレー粉を買った。ほかのものは買わなかった。いらないことがわかっていたからだ。彼女には言わなかったが、ぼくも小鳥のことをまるで知らないわけではなかった。

ぼくが彼女に言っていないことは、そんなにはない。ぼくのことはたいていいな

PET S

んでも知っている、と彼女はおもっているし、事実そのとおりなのだ。でもこれはいままで話したことがない。べつにひみつというほどのことじゃなく、ぼく自身すっかり忘れていたのだ。ほんとうにすっかり忘れていた。今朝小鳥ちゃんがやってくるまでは。

まえにもおなじようなことがあったのだ。何年もまえ、まだ彼女に出会ってもいないころに。

あのときはすずめだった。こげ茶色のきりっとしたからだ、小さくてまるい頭に、かしこそうな黒い目。やっぱりこんな雪の降る寒い朝にやってきて、みんなとはぐれてしまったのでしばらくおいてほしい、と言ったのだった。

ぼくとすずめは、結局一年半ほど一緒に暮らした。ぼくたちは、すごくうまくいっていたと思う。こげ茶色のきりっとしたからだ、小さくてまるい頭に、かしこそうな黒い目。

「ただいま」

ぼくが玄関をあけると、奥から小鳥ちゃんがまっすぐにはばたいてきた。ものすごいいきおいでぼくの肩のあたりをとびまわっている。ほっぺたやまぶたのうすい皮膚に小さな風がぶつかる。ぼくはおどろいて、玄関につっ立ったまま目をつぶった。

たっぷり1分そうしたあとで、小鳥ちゃんはぼくの肩にとまった。ぼくはとめていた息をはき、もう一度あらためて小鳥ちゃんに、

「ただいま」

と言った。リビングに入っていきながら、小鳥にもいろいろあるものだなとぼくはおもった。まえの小鳥ちゃん――すずめも、ぼくはそう呼んでいた――は、ぼくが仕事から帰ってもとびだしてきたりしなかった。ベッドサイドの読書灯のふちにとまって、けだるい顔で窓の外を眺めていたりした。読書灯のふちが、彼女の気に入りの場所だったのだ。

ぼくが袋からボレー粉をだすと、小鳥ちゃんはそれをみて、あら、という顔をした。それからぼくをみあげ、

「それ、おみやげ?」

と訊《き》く。

「うん、まあ」

ぼくがこたえると、ほんの一瞬まがあって、小鳥ちゃんははっきりと言った。

「ありがとう。あたし、おみやげって大好き」

ペット屋の主人はぼくのことをおぼえていた。

「ほう、また小鳥がきましたか」

ぼくの顔をみるなりそう言った。

「ええ、今朝とつぜん」

ぼくはなんとなくばつのわるいかんじでこたえたが、主人は穏やかな顔のまま

うなずいて、

「そうなるとおもってましたよ」

などと言う。

「男のかたのなかには、どうしても小鳥にかかずらわってしまうかたがあるんですよ、まれにね」

「はあ」

ぼくはますますばつがわるくなり、小さな声で返事をした。

でも、と、ボレー粉の袋をピンク色の脚でこわごわつついていた小鳥ちゃんは言った。

「でも、これいったいなに？」

「ボレー粉だよ。カルシウムが摂れる。店のおじさんが言ってたけど、カキの殻でできてるんだって」

ぼくは説明した。

「小鳥の生活には不可欠のものらしい」

ふうん、といちおううなずいたものの、小鳥ちゃんは不満そうだ。でも、と、もう一度言う。

「でも、率直に言ってあたしそんな粉たべられない」

「なぜ?」

ぼくは訊いた。

「きみはこれがなんだかわからなかったんだから、たべたこともないわけだろう? たべられるかもしれないじゃないか。たべてみたら案外いけるかもしれない」

小鳥ちゃんはその灰白色のかけらの入った袋をみつめてしばらく考えているようだったが、やがてゆっくりした口調で結論を下した。

「そうはおもわないわ。あたしの好きなたべものはそういうのじゃないもの」

小鳥ちゃんは言った。

「そういうのじゃないって、じゃあどういうのなの?」

小鳥ちゃんはしかつめらしく考える。

「そうねえ」

考えたあげく、

「もっとなめらかなの」

と言う。

「もっとなめらかで、とろっとして、ラム酒の匂《にお》いがするの」

「ラム酒?」

小鳥ちゃんは世にもうっとりした顔で、

「そう」

と言う。

「ラム酒がかかってるの」

「なにに、ラム酒がかかってるの？」

「アイスクリームよ。もちろん」

小鳥ちゃんは言う。

「あたしのごはんはそれにして。三度三度それでもかまわないわよ」

「そうだなあ」

ぼくは考えるふりをした。

「でもそれ、ちょっとからだに悪そうだな」

あら、と、小鳥ちゃんは間髪をいれず反論する。

「あたしのからだにはいいわ」

そして、

「断言するけど、あれは世界じゅうでいちばんいいたべものよ」

と、説明をしめくくるのだった。

昔の小鳥ちゃんの好物は、いり玉子だった。玉子の一かけずつが大きすぎるとたべにくい、と言うので、ぼくはできるだけこまかくいった。

——きみのからだの色に、いり玉子はよく似合うね。

いつかそう言ったことがある。昔の小鳥ちゃんはおどろいたようにぼくをみて、

——考えたこともなかったわ。

と言った。それからまじめな顔のまま、

——でもありがとう、うれしいわ。

と言ったのだった。

ぼくは小さくため息をついた。遠い記憶。すっかり忘れていたことを、人はなんだってふいにおもいだしたりするのだろう。

結局、アイスクリームもときどき献立にくみこむ、ということで、ぼくと小鳥ちゃんは手をうった。できるだけたくさんときどきにする、という条件つきで。

ぼくが洗面所でうがいをし、手を洗っているあいだじゅう、小鳥ちゃんはキャビネットの棚からぼくをみている。

「目も洗わなきゃだめよ」

などと言いながら。

リビングに戻りがけ、小鳥ちゃんは写真立てをたおしてしまう。春に、ガールフレンドと動物園のしまうまのまえで撮った写真だ。

「おっと」

小鳥ちゃんは言う。

台所の窓をあけると、つめたい新鮮な空気が流れこんでくる。繁華街のネオン。街灯に照らされて、さわさわと音をたてて雨が空気にからまりおちている。寒いのと、おもて通りの音がうるさいのとで、ぼくはすぐに窓をしめた。

小さなテーブルに水色のクロス——もちろんわが社の製品だ——をかけて、一人と一羽分の食卓をととのえる。

音楽をかけて、と小鳥ちゃんが言うので、ぼくはレコードをかけた。

ICE CREAM

土曜日は、電話の音で目がさめた。

「すばらしくいいお天気よ」

体操をしてシャワーをあびて熱いお茶ものんだあとにちがいないガールフレンドが、すがすがしい声で言う。

「でかけましょう」

彼女ははやおきだ。

「うーん」

上体をおこし、壁のブルーナをみつめる。ブルーナのポスターはぼくが自分ではった。

「いいわ。朝ごはんをつくりにいってあげるから、それまであと15分眠ってちょうだい」

くすくす笑いのまざった声で言い、彼女は電話を切った。ぼくが、体温で気持ちよくあたたまった幸福なベッドにふたたびもぐりかけたとき、小鳥ちゃんが枕《まくら》元《もと》で写真立てをたおした。いきおいよく、ばたんと。

その瞬間、ぼくはきょうがなんの日かおもいだした。

「教会」

ぼくが言うと、小鳥ちゃんはぷんとおこってとんでいってしまった。


彼女は愛車をとばし、ほんとうに15分でやってきた。パンの包みを抱えている。みとれるような手際《てぎわ》のよさで洋服だんすからぼくの服を選びだし、ラジオをつけ、コーヒーをわかし、切るとなかから湯気のでるフランスパンを切り、バターをたっぷり使ったたいり玉子をつくる。彼女が入ってくると、ぼくの部屋はいつでも春みたいにあかるくなる。

「おはよう」

そして、彼女はぼくの頭にキスをした。

「あらかわいい。これがあなたの小鳥ちゃんね」

彼女はぼくの小鳥ちゃんをみると言った。

「文鳥の一種みたいね」

小鳥ちゃんはなにも言わない。


教会は天井が高く、ひんやりして、しずかなふるい匂いがした。

中年の御婦人が二人祈りを捧《ささ》げている。

「従兄《いとこ》の結婚式をおもいだすわ」

ひそひそ声で、彼女が言った。

「二年まえに結婚したの。すてきな式だったわ。去年赤ちゃんが生まれてね、双子だったの、すてきでしょう?」

小鳥ちゃんはしばらく様子をうかがっていたが、やがて祭壇のまえにすすみでて、羽根も目もそっととじて祈り始めた。おもいのほかながい時間。

ぼくと彼女は入口に立ってそれをみていた。高い位置にある窓からほそく日が

さしこんで、その日ざしのなかだけごくこまかなほこりがまっているのがみえる。

ぼくは、学生時代に下宿していた先のおばあさんのことをおもいだしていた。おばあさんは80近かったがとても元気で、大きな車を自分で運転し、毎週日曜日に教会にいっていた。ぼくもときどきおともをしたが、いきの車のなかで、おばあさんはいつも歌をうたった。"What a Beautiful Morning"はお気に入りの曲で、そのほかにも、レパートリーは10曲くらいあった。

教会にはおなじように熱心なひとびとがあつまっていて、顔をみれば抱擁《ほうよう》の嵐《あらし》だった。毎週毎週、まるで何年ぶりかで再会をはたしたひとどうしのように、かれらは大げさな身ぶりで抱きあうのだった。祈るためというよりみんなに会うために教会にいく、というかんじだった。

金ぐさりのついたきゃしゃな老眼鏡を、いつもネックレスのように首にかけ、棒のように細い足ではしはし歩いた。彼女はどうしているだろう。

天気がよかったので、ぼくたちはそれから公園にいき、芝生にねころがったり、川の白鳥にえさをやったりしたが、その日いちにち、小鳥ちゃんは無口だった。

「元気がないね」

夕食のあと、コーヒーをのみながらぼくは遠慮がちに尋ねた。小鳥ちゃんは窓台にとまり、目のまえにおかれたコップの水には注意も払わずに外をみていた。澄んだ夜空だ。

「そんなことないわ」

ふりむかずに言う。

「それならいいけど、昼間教会にいってからずっと、なんだか沈んでいるようにみえたから」

小鳥ちゃんはふりむいて、ぼくをみた。心外だという顔をしている。

「沈んでなんていないわ。ただ、神妙にしているだけよ」

「神妙に?」

小鳥ちゃんはうなずく。

「だって、教会ってそういうものでしょう?」

真下の道路を車が一台通りすぎていく。ヘッドライトが路面を一瞬あかるく照らす。小鳥ちゃんはいつまでも窓の外をみていた。ちっぽけなうしろ姿だった。


あくる日も快晴だった。

近くの公園で、子供たちが凧《たこ》をあげている。予定のない日曜日。

「それで、これからどうするの?」

グレープフルーツをむいてコーヒーをいれ、パンをあたためながらぼくは訊《き》いた。

「はぐれてしまった仲間に会える見込みはあるのかな」

あたためたパンをちぎって小鳥ちゃん用の皿にまく。つめたいグレープフルー

ツとまざらないように。

返事がないので顔をあげると、小鳥ちゃんは般若《はんにゃ》の面のような形相をしていた。

「ひどい」

こてんぱんに傷ついたような声で言う。

「でていけって言うの？」

もちろんそんなつもりで言ったわけではなかったが、教会に案内する約束をはたしてしまった以上、小鳥ちゃんがここにとどまっている理由がない。

「ちがうよ。そんなことは言ってない」

説明しようとしたが、小鳥ちゃんはきく耳をもたなかった。

「でていけって言うのね。でていけって言うのね」

ばたばたとびまわりながら言う。

「ちがうってば。おいで、おりてくるんだ」

「おいだすのね。うばすてやまにすてるのね」

「ちがうよ。いい子だからじっとして」

ぼくはなんとか小鳥ちゃんをつかまえようとした。そのたびに小鳥ちゃんはするりと身をかわし、高いところにいってしまう。

「ひどいわひどいわ。でていけって言うのね」

滅茶苦茶《めちゃくちゃ》にはばたく音、それから羽根のまきおこす小さな風。いいかげんおいかけっこをしたあとで、小鳥ちゃんはいきなり下におりてきた。

「ああくたびれた」

すました顔でテーブルにつき、

「じゃあここにいてもいいのね」

と言い、

「さ、ごはん、ごはん」

と言うのだった。

小鳥ちゃんとの生活はこんなふうだ。

もちろん、小鳥ちゃんは鳥かごなんか使わない。ぼくのアパート全体が小鳥ちゃんの鳥かごだ。えさ皿だの水入れだのも使わない。えさはふつうの皿からたべるし、水はコップからのむ。ボレー粉だけは、気がむいたときにいつでも食べられるよう、コーヒーカップにいれて台所の窓台においてある。

読書灯のとなりにおいたバスケット――ぼくのガールフレンドのものだったバスケットだ。彼女はそれを気前よく小鳥ちゃんにプレゼントしてくれただけじゃなく、なかに綿のつまったクッションと、小さな掛け布団《ぶとん》まで縫ってくれた――のなかで眠る。小鳥ちゃんの寝息は小さくてウエハースみたいにかるい。よくよく注意して息をとめ、耳をすませて集中しなければききとれない。その小さな寝息にあわせ、小鳥ちゃんの小さくてあたたかなからだはごくかすかに上下して、そのたびに掛け布団がわずかながらもちあがる。ぼくはそれをみているのが好きだ。

K

「ね、音楽をかけて」

小鳥ちゃんはときどきそう言う。小鳥ちゃんはモーツァルトが好きだ。ブレンデルのピアノは、すりきれるほどかけさせられる。あかるくてきれいなものが好きなの、と、小鳥ちゃんは言う。

小鳥はみんな音楽が好きなのかもしれない。まえの小鳥ちゃんはエラ・フィッツジェラルドが好きだった。サラ・ヴォーンもわるくない、と言っていた。

でも、まえの小鳥ちゃんと決定的にちがうこともある。

「あたしを外にだして」

小鳥ちゃんはときどきそんなことも言うのだ。ばたばたとびまわり、もうすこしも待てないというふうにせいた様子で、

「はやくはやく、はやくだしてちょうだい」

と言う。窓をあけてやるととんでいく。散歩よ、と小鳥ちゃんは言うけれど、どこにいっているのかはわからない。寒い日などぼくがちょっとでもためらうと、

「のろま」

と言ったりする。小鳥ちゃんの散歩はたいてい二、三時間だけれど、一晩じゅう帰ってこないこともある。二、三日帰ってこないことも、たまにある。

ぼくもときどき散歩にでるが、ぼくが散歩にいくときは、小鳥ちゃんもついてくる。角のカフェにもその先の図書館にも、ぼくたちは一緒にいく。

小鳥ちゃんは図書館があまり好きじゃない。ひろすぎるし、すかしていけすかない、と、小鳥ちゃんは言う。

小鳥の図鑑などをひらいてやると、それでもしばらく興味深そうにみているが、頁《ページ》をめくって、という合図に、しょっちゅうぼくは手をつつかれる。ぼくがあんまり本に熱中しすぎると、小鳥ちゃんは飽きてぼくの頭にのっかったり、肩にとびうつったりし、しまいにぼくの読んでいる本の上で眠ったふりをする。

ときどき、ガールフレンドが遊びにやってくる。彼女は、ぼくの部屋に新鮮な花をいけるのは自分の役目だとおもっているし、彼女が新しくおぼえた料理の味みをするのはぼくの役目だとおもっているのだ。

そういうとき、アパートのあちこちでがたがた音がすることがある。

「なんの音?」

彼女に訊かれても、むろんぼくはそらとぼける。

「なにかきこえた?」

とか、

「おとなりの夫婦げんかかな」

とか。そうして彼女にみつからないうちに、たおれた写真立てをもとに戻す。

一度だけ、小鳥ちゃんにほめられたことがある。

「あなたは料理が上手だわ」

小鳥ちゃんは、考え深げな表情で、おもおもしくそう宣言した。朝食のバタト

ーストをわけてあげたときだ。

ぼくたちは、夜ねるまえに、一緒にお茶をのむ。星のたくさんでている夜は、屋上にあがってのむこともある。屋上では、ぼくも小鳥ちゃんもあまりしゃべらない。しゃべらなくても、じゅうぶんなかんじがするからだ。

それから、ぼくたちはそれぞれの布団に入り、互いに「おやすみ」と言いあって、まんぞくして電気を消す。

小鳥ちゃんはしりとりが好きだ。退屈すると、すぐにしりとりをしたがる。小鳥ちゃんのしりとりはおわらない。「ん」がついてもいいルールなのだ。

小鳥ちゃんとのしりとりは、だからたとえばこんなふうだ。

海、と、小鳥ちゃん。三日月、と、ぼく。きんかん、と、小鳥ちゃん。カンボジア、と、ぼく。

あるいはいきなり、ごはん、と、小鳥ちゃん。ハンカチ、とぼく。小鳥ちゃんは「チューリップ」と言うかもしれないし、「かちかちやま」と言うかもしれない。ずーっとつづくのが好きなの、と、小鳥ちゃんは言う。好きなときに始めて好きなときにやめるのがいい、のだそうだ。

「それに、言っちゃいけない言葉があったりしたら、気になってどきどきしちゃうでしょう?」

それがおもしろいんじゃないか、とぼくがこたえると、小鳥ちゃんは信じられないという顔をして、

「悪趣味」

とひとこと言い放つ。

ぼくのガールフレンドの車は真青なポロだ。彼女はどこにでもそれに乗っていく。少々スピードをだしすぎるきらいがあるが、運転はうまい。(言い忘れてい

たけれど、ぼくは車の運転ができない）

小鳥ちゃんは、かならずしも彼女のすべてを気に入っているわけではないらしいが、彼女の運転についてはかなり気に入っているようだ。ことに彼女が制限速度を60キロもオーバーして走っているようなとき、小鳥ちゃんは後部座席で歓声をあげる。ぼくは助手席で息もできずにかたまっているのだけれど。

ぼくと彼女は毎日一緒におひるごはんをたべ、週末にはたいていデートをする。彼女はハンドバッグに赤い手帖《てちょう》をいれて持ち歩いていて、予定はみんなきちんとそこに書きこまれている。

金曜日の夜は映画にいく。

小鳥ちゃんも映画が好きだ。三人で映画館にいくと、ぼくたちはすくなくともカップ二杯のポップコーンをたいらげてしまう。

彼女はサスペンス映画が好きで、小鳥ちゃんは古いハリウッド映画を好む。二

人とも、ホラーとSFは絶対にみない。

散歩にでてるすでないかぎり、むろん小鳥ちゃんはデートにもついてくる。

「とうぜんでしょ」

小鳥ちゃんは言う。

「あたしはあなたの小鳥ちゃんなんだから」

さいわい、彼女は気にしていないようだ。

小鳥ちゃんの好きなものの一つに洗濯がある。ぼくが洗濯機をまわすとやってきて、飽きずに眺めている。泡と水のうねるのをみているのが快感なのだそうだ。そういうとき、うっかりふたをしめてしまうと機嫌がわるい。あわててあけてももう遅いのだ。

「あたしがあのなかをみるのを好きだって知っているくせに」

おこった声で言う。

ぼくはあやまるが、小鳥ちゃんの機嫌はなかなかなおらない。


ある朝、いつもぼくと一緒におきる小鳥ちゃんがおきてこなかった。ぼくは洗面所でそれに気づくと、寝室に戻って小鳥ちゃんのバスケットをのぞいた。あごまできちんと布団にうまり、目をとじて横になっている。

「小鳥ちゃん?」

のぞきこんで声をかけると、目をあけて弱々しい声で、

「あたしびょうきになったみたい」

と言う。

「びょうき?　どんな?　どこかいたむの?」

どきっとした。ぼくは瞬時にあれこれおもいめぐらせる。きのうまで食欲はちゃんとあったし、おなかをこわしている様子もない。小鳥は骨折しやすいという

のをきいたことがあるけれど――。

「べつにどこもいたまないわ。ただのびょうきだもの」

小鳥ちゃんはしずかに言う。

「ちょうどよかったの。あたし、一度びょうきになってみたかったところだから」

ぼくが電話帳でいちばん近い獣医を調べ、電話をかけようとすると小鳥ちゃんが首をもたげた。

「なにしてるの?」

不安そうな声だ。

「心配しなくていいよ」

と、ぼくは言った。

「いま医者を探してるからね。会社にいくまえにつれていくよ。帰りにまた迎えにいく」

「だめっ」

小鳥ちゃんの声はおもいのほか大きく、断固としていた。

「だめっ。そんなことしちゃだめ。はやく受話器をおいて」

布団をはねのけておきあがっている。ぼくは受話器をおき、おどろいて小鳥ちゃんをみつめた。

「どうして?」

小鳥ちゃんはそれにはこたえずに、もう一度バスケットに横になる。しずかに深呼吸をすると、

「布団をかけて」

と言う。ぼくは言われるままに布団をかけた。

「ありがとう」

小鳥ちゃんは言い、またぐったりした様子になった。

「ほんとうにびょうきなの?」

ぼくが尋ねると、小鳥ちゃんはちょっと気をわるくしたように、

「もちろんほんとうにびょうきよ」

と言う。

「だったら医者にいかなくちゃだめだよ」

ぼくが言うと、いかにもやれやれというようにため息をつき、

「わかってないのね」

と、つぶやいた。

「びょうきっていうのがどういうものか、あなたには全然わかってない」

いやんなっちゃう、という口調だ。

「びょうきっていうのは一日じゅうねていなきゃならないものなのよ。どこへもでかけられないの。一日じゅうねて、朝と夜にお薬をもらって、じっとしてなきゃいけないの」

説明をおえると、ぼくの顔をじっとみて、

「わかった？」

と訊《き》く。仕方なくぼくはうなずく。

「それから、お薬っていうのはラム酒をかけたアイスクリームよ、言っとくけど」

ぼくはもう一度うなずいてから、おずおずと口をひらいた。

「確認させてくれるかな」

小鳥ちゃんは、どうぞ、と言う。

「きみはびょうきだ」

小鳥ちゃんはうなずく。

「一日じゅうねていなくてはいけない」

もう一度うなずく。

「そんなきみに、ぼくは一日二回、薬をやる必要がある」

小鳥ちゃんはそのとおりと言うように、大きく何度もうなずいてみせる。

「薬はラム酒をかけたアイスクリーム」

小鳥ちゃんの首は、もうもげそうに上下している。

「なるほど」

ぼくはほっとして、うれしい気持ちになっていた。

「それで、びょうきはいつなおるのかな」

小鳥ちゃんはうなずくのをやめ、しばらく考え深げに首をかしげてから、

「予定ではあした」

と言う。

「なるほど」

よくわかった、とぼくは言い、会社にでかける仕度をすませると、さっそくバスケットのなかの小鳥ちゃんに朝のぶんの薬をのませた。

「ごちそうさま」

小鳥ちゃんは礼儀ただしく言い、横になるとまんぞくしきって目をとじた。

「具合はどう？」

ぼくの問いに、それはうっとりと、

「悪いわ」

とこたえながら。


夕食のあと、ぼくたちはときどき近くの川まで散歩にいく。川には大きな橋がかかっていて、人や車がたくさん通る。川の水は、夜みるとまっくろで鈍くひかり、おまけにたぷたぷと不気味にうねっている。ぼくたちは橋の上で立ちどまり、手すりにもたれてしばらくじっとしている。遠くにぼくたちのアパートがみえ、ほとんどの窓にあかりがついている。

「あの暗い窓がいちばんすてき」

と、小鳥ちゃんは言う。それはもちろんぼくたちの部屋の窓だ。

ぼくたちはそこでいくつかの個人的な話をした。個人的な話というのは普段あまり話さないような話。川の風にふかれながらだと、なんとなくそういう話もできてしまうのだ。

とはいえ、あまりながくそうしていると、ぼくは船酔いみたいなかんじになってしまう。水面をみすぎて気持ちがわるくなるのだ。

「船にも乗らないで船酔いができるなんて得な性質ねえ」

と、皮肉というわけでもなく小鳥ちゃんは言う。

橋を渡りきったところに小さなレストランがある。赤いひさしとあたたかそうなあかりにつられ、ぼくたちはたまにふらりとそこによる。熱いコーヒーをのみ、おなかがすいていれば、塩をたくさんかけたフライドポテトも注文する。

一度だけ、小鳥ちゃんにガールフレンドの悪口を言ったことがある。ひるま、ぼくが約束に遅れたことがもとで彼女とけんかになり、そのまま夜まで傷ついた気分だったのだ。

「だいたい彼女には杓子定規《しゃくしじょうぎ》なところがあるんだ」

と、ぼくは言った。

「嫌味なオールドミスの素質じゅうぶんだよ」

小鳥ちゃんはひとしきり笑ったあとで、するどい声で、

「ひどいことを言うのね」

と言う。それでいてぼくが黙るとつまらなそうに、

「なんだ、もうおわりなの」

と言うのだった。


小鳥ちゃんのお父さんの話をきいたのも橋の上だった。

小鳥ちゃんによれば、小鳥ちゃんのお父さんは厭世的《えんせいてき》で、やさしすぎるために自分もまわりも不幸にしてしまうような小鳥だったのだそうだ。その結果、彼には七羽の妻と三十七羽の子供がいた。

結局彼は「猫に頭蓋骨《ずがいこつ》を砕かれて」非業《ひごう》の死をとげたのだけれど、小鳥ちゃんは「あれは自殺だったと確信している」のだという。「あの猫、堂々としていて

かっこうよかった」とも。


　雪のつもった朝、ぼくと小鳥ちゃんはいつものカフェまで散歩にいった。まっしろで、まぶしい世界のすみずみまで朝日がてらし、みずみずしい匂《にお》いがからだじゅうにいっぱいになる。いつものようにぼくの肩のあたりをとんでいた小鳥ちゃんは、ふいに立ちどまってはばたきながら言った。

「いい音ね」

「音？」

「それ、おもしろい？」

「それって？」

　ぼくはきょとんとして言った。

「それよ、くつがたつけ」

「くつがたつけ？」

小鳥ちゃんはじれったそうにうしろの方にとんでいき、道につづいているぼくの足跡の上を低くとんで示す。

「ああ、足跡のことか」

「あら」

小鳥ちゃんは不満そうな声をだした。

「あなたのは足跡とは言えないわ。くつをはいているんだから」

それから、小鳥ちゃんは自分でもやってみたいと言いだして、しばらくぼくのとなりをよたよたと歩いた。歩幅が全然ちがうので、ぼくはおそろしくゆっくり歩かなくてはならなかった。

てんてんとついた小さな足跡をふり返り、

「ほら、これが足跡よ」

と、小鳥ちゃんはとくいそうに言う。

「まさしく」

ぼくは紳士らしく感心してみせたが、このままではカフェにつくのが夜になってしまうと心配だった。そのくらいゆっくりだったから。

でも、それは杞憂《きゆう》だった。

小鳥ちゃんはふたたび立ちどまり、ぴゅり、と奇妙に一声鳴くと、ばたばたとあわただしくとびあがった。

「いたいっ」

おこったように言う。

「あしのうらがいたいわ。雪をはなれてもなおらない」

ばたばたととびながら、半べそをかいている。

「コンチキショウ。コンチキショウ」

くやしそうに言いながらとぶ小鳥ちゃんをみてぼくは笑った。

小鳥ちゃんは、おこるととても行儀のわるい言葉を使う。

カフェにつくと、ぼくはウエイトレスにたのんで、受け皿にお湯をはってもらった。

ぼくがコーヒーをのんでいるあいだじゅう、小鳥ちゃんはそこに両あしをつけていた。


一月の最初の土曜日、ぼくは彼女とスケートにいった。曇り空の下、彼女はあかるいブルーのセーターを着ていて、それがとても目立った。すこしエメラルドがかったブルーのセーターは、彼女の白い肌をひきたてていたし、ばら色に上気した頰にも似合っていた。

ぼくたちはしっかりと手をつなぎ、けっこうスピードをだしてすべった。スケートぐつの刃が氷をとらえ、的確にひっかく気持ちのいい音と感触、顔にぶつかるつめたい空気。

すべっているあいだぼくたちはなにも喋《しゃべ》らない。お互いまえをむいているのだけれど、つないだ手から、もくもくとすべっている彼女の気配や安心した心がどんどんつたわってきて、ぼくはとても幸福だった。

小鳥ちゃんは、はじめのうちこそぼくたちのそばをとびまわっていたが、すぐに飽きてどこかにいってしまった。おそらくそこのパーラーでアイスクリームでもわけてもらっているか、先に車に戻っているかだろう。小鳥ちゃんのために、後部座席の窓はいつもすこしあけてあるのだ。

「ああ、おもしろかった」

すべりおわると、彼女はすっかりまんぞくした口調で言った。白い息をはずませて、ほっぺただけじゃなく、鼻のあたまも薔薇色《ばらいろ》にしている。ぼくもすこしほてっていた。

「これこれ」

彼女が笑いながら言う。

「私これも好き。すごくおかしいんだもの」

もちろん、ぼくにはこれというのがなんのことだかちゃんとわかった。スケー

トのあと、普通のくつで歩こうとするとぎくしゃくする、足が地につきすぎる、とでも言いたいような、あの妙なかんじのことだ。

ぼくたちは、そのへんなかんじをたのしみながらスケートリンクをあとにした。くらくなりかけた空に、かげのうすい三日月がはりついている。

小鳥ちゃんは青い車の後部座席で眠っていたが、ぼくたちがいくと片目をあけてちらりとみた。

「おきてるの？」

ぼくは声をかけたが、小鳥ちゃんはそっぽをむいてねたふりをしている。

「ああ、おなかがすいた」

運転席にすわり、頭をヘッドレストにもたせかけると、うっとりした声で彼女が言った。

「身も心もかけねなしにからっぽっていうかんじ」

それで、ぼくらはその夜、かけねなしにおいしい中華料理をたべにいった。

夜中、おそくなってから雨が降りだした。世界じゅうを、すみずみまでずぶ濡《ぬ》れにしようときめているような雨だ。屋根をたたき、窓ガラスをつたい、といを流れ、木をふるわせ、土にしみこむ雨。ベッドに横になって目をつぶっていると、手足がつめたく濡れてしまいそうな気がする。

「噴水の水しぶきに虹《にじ》がかかるのをみたことがある?」

横でいきなり小鳥ちゃんが言った。

「おどろいた。まだおきてたの?」

「ねてたわ。でも目がさめちゃったのよ。こんな雨だもの」

ぼくは枕元《まくらもと》のスタンドをつけた。小鳥ちゃんと顔をみあわせる。

「ね、噴水の水しぶきに虹がかかるのをみたことがある?」

小鳥ちゃんは質問をくり返した。

「あるよ。日の光があたって、それがくだけ散るように虹になるやつのことだよ

ね」

小鳥ちゃんはうなずく。

「そう。あたし、お天気のいい日に噴水のそばをとぶの大好き」

「気持ちよさそうだね」

ぼくは心から言った。

「水しぶきも好きなの」

「うん」

「濡れたってすぐかわいちゃうし」

「うん」

雨はいっこうに弱まらない。屋根をたたき、窓ガラスをつたい、といを流れ、木をふるわせ、土にしみこむ雨。小鳥ちゃんと二人、部屋ごと雨にとじこめられてしまったような気さえする。

「どう?」

小鳥ちゃんが訊《き》いた。

「どうって、なにが?」

「気分よ」

小鳥ちゃんは、ぼくの顔をじっとみている。

「あかるくてきれいなものをおもいうかべれば、ずっと気分がよくなるでしょう?」

なるほど。

でも、ぼくは、なるほど、のかわりに、

「もちろん」

とこたえた。

「ずっとよくなった」

「よかった」

小鳥ちゃんはうれしそうに言い、おこしていた頭をふたたび枕にもたせかける。

「大丈夫よ。きっとじきにあがるわ」

どうやら勇気づけてくれているらしい。ぼくはおおいにはげまされた。そして、小鳥ちゃんと二人、こんなふうに雨にとじこめられるのもわるくないなと思っていた。

記憶というのはいったいどういうシステムになっているのだろう。小鳥ちゃんと暮らし始めてから、それまで忘れていたことをいろいろおもいだすようになった。昔の小鳥ちゃんのことだ。たいていはいい思い出だが、なかには、あまりおもいだしたくないこともある。

——一羽の小鳥として、私ががまんならないとおもうあなたの欠点を教えてあげましょうか。

いつだったか、そう言われたことがある。昔ここにいた——ある日いきなりやってきて、やがていきなりいなくなってしまった——こげ茶色の小鳥ちゃんにだ。

——欠点？

ぼくは訊き返した。夏で、ぼくたちは窓をあけた部屋のなかにいた。

——あなたはうけいれすぎるのよ。

小鳥ちゃんはぼくの目をみずにそう言った。

——いけないことかな。

——ときどきとても淋《さび》しくなるの。

小鳥ちゃんは顔をあげてぼくをみた。切るようにかなしい目をしていた。

「なにを考えてるの？」

小鳥ちゃんがぼくの肩にとまって訊く。白い、いまここにいる小鳥ちゃんだ。

「いや」

ぼくが言うと、意識がここに戻ってきているのをたしかめるようにぼくの目をのぞきこみ、

「それならいいわ」

と、小鳥ちゃんは言う。言葉をのみこんでしまったことが、ぼくにもわかる。

「なんでもないんだ。忘れていたことをおもいだした」

どんなこと、と、でも小鳥ちゃんは訊かない。かわりに、

「のどがかわいたからお茶をいれてちょうだい」

と言うだけだ。


小鳥ちゃんのるすの金曜日、ぼくはガールフレンドと映画をみにいった。スパイものだ。ぼくたちは紙コップ入りのソフトドリンクをのんでポップコーンをたべ、それぞれ画面に没頭した。映画をみるとき、彼女はクラス委員ふうの眼鏡をかける。結末はすこしかなしかった。

映画のあと、彼女はぼくのアパートによった。ぼくたちは赤ワインを一杯ずつのんで、レコードをきく。彼女の好きなミュージカルのサントラ盤だ。これをかけると、2曲目と8曲目はかならず彼女も一緒に口ずさむ。そうせずにはいられ

ないのだ。彼女の声は直線的で透明で、小さくてたよりない。

ぼくは彼女の頭のてっぺんにキスをする。彼女がいつもしてくれるように。彼女はくすくす笑いだす。ごくりと音をたててワインをのむと、なにかたべるものがほしいと彼女が言った。ぼくは台所に探しにいく。

「二人だけもちょっといいわね」

うしろで彼女が言い、ぼくは冷蔵庫にかがみこみながら、

「そうだね。ちょっといい」

とこたえた。窓の外にはネオンがみえる。小鳥ちゃんのいない部屋の窓から。

ぼくは、小鳥ちゃんの元気がないことに気づいた。いつもはぴちゅぴちゅ喋りどおしなのに、ここ二日ばかり言葉数がすくない。とび方もどことなく弱々しし、気がつくとものおもいにふけっている。

「またびょうきなのかな」

冗談めかせて訊いてみた。小鳥ちゃんは首を小さく横にふる。

「なんでもないわ」

でも、そう言ったあとでため息をついたりする。ため息をつくとき、小鳥ちゃんの小さな胸はいったん大きくふくらんで、吸った空気がいちどきに吐きだされるのがみてとれる。やわらかな羽毛におおわれた、てのひらで包むとあたたかな鼓動のつたわってくる小鳥ちゃんの胸。

会社にいるあいだも、ぼくは小鳥ちゃんが気がかりだった。

朝ごはんのとき、モーツァルトをかけてあげてもよろこばなかったし、玄関まででぼくを見送りにでてくるときも、いつものように顔のまわりをばたばたととびまわって、はやく帰ってくるように念をおしたりしなかった。

退社時間になるやいなやぼくは会社をあとにした。コートを着、襟巻をまきつけて地下鉄に乗る。ぼくは地下鉄が好きだ。窓にうつるはてしない闇《やみ》も、その闇を切りさいてすすむあの轟音《ごうおん》も。でも、きょうの闇にはぼくのうかない顔がうつっている。

「ただいま」

ドアをあけると、小鳥ちゃんはいちおう玄関にとんできた。

「おかえりなさい」

ぼくの目のまえで言う。意志的な黒い目が、やはりどこか憂《うれ》いをおびている。

ぼくはもう一度ただいまを言い、コートをぬいでカーテンをしめる。窓の外は街のあかり。ビルの窓や橋のあかり、車のテールランプ。

「きょうは外食にしようか」

ぼくの提案に、小鳥ちゃんはどちらでもいいというようにただうなずく。

15分後、ぼくたちは小さなレストランのテーブルについていた。通りに面したテラス席のある、はやってはいないがかんじのいい店だ。どのテーブルにも赤と白の格子《こうし》柄のクロスがかけられ、塩コショウ入れの横には、ガラスの器に入った小さなろうそくが灯《とも》っている。

ぼくはビールとグリーンサラダ、ロールキャベツを注文し、サラダにはなにもかけないようにたのんだ。

小鳥ちゃんは言われるままに野菜をつつき水をのんだが、依然として元気がないままだ。

帰り道は空気が澄んで、星がたくさんみえていた。濡れて凍ってでもしまったようによく光る星をみながら、小鳥ちゃんとぼくはならんで歩く。すっかり葉のおちてしまった木の繊細なシルエットが、夜のなかに黙ってならんでいる。

「しりとりする？」

ぼくが誘うと小鳥ちゃんは一瞬考えて、する、と言ってうなずいた。

しりとりをするときにはいつも自分の好きな言葉で始めていいのだとおもいこんでいる小鳥ちゃんは、今回も躊躇《ちゅうちょ》なく、ゆっくりと、ヨル、と言う。

「る。るりびたき」

胡瓜《きゅうり》、と、小鳥ちゃん。リコーダー、ダイナマイト、トマト、とんび、ビルデ

イング。

途中で犬の散歩をしている女の人とすれちがった。

ぐず、ずる、ルンバ、バス、すずめ、めがねざる。

アパートにつくころには、小鳥ちゃんの機嫌はすこしよくなっていた。


洗面所でぼくが歯をみがいていると小鳥ちゃんがやってきた。

なに？

鏡ごしに目だけで訊く。小鳥ちゃんはそれにはこたえずに、棚にとまってぼくをみている。歯をみがきおわり、タオルで口のまわりをふくと、小鳥ちゃんがぼくの肩にとまった。そして、ようやく、ここ数日の不機嫌のわけを教えてくれた。

「あのね」

はっきりと、意志のこもった声で小鳥ちゃんは言った。

「あたし、考えたんだけど、一度スケートっていうものをしてみようかとおもうの」

ぼくは小鳥ちゃんの顔をみた。

「スケートがしたいの？」

そうなのだ。小鳥ちゃんは、ぼくとガールフレンドが二人だけで（たぶんたのしそうに）すべっていたのがおもしろくなかったのだ。

「まあね。そう言ってもいいわ」

困ったようにそう言って、小鳥ちゃんはそっぽをむく。居間のラジオに気をとられているふりをする。

ぼくは、小鳥ちゃんにスケートぐつを作ってあげることにした。

まず、バタナイフを金のこで切ってやすりをかけた。上部に切り込みをいれ、左右にきっちり直角にたおす。これはペンチを使った。たおした部分にビス用の穴をあけ、スケートの刃は完成。小さくて銀色の、美しい刃だ。

それから、ぼくはガールフレンドにたのんで小鳥ちゃん用のくつしたを編んでもらった。小鳥ちゃんの脚をぴったり包む、あたたかくて快適なやつだ。あとは木ぎれを削ってくつしたの底にはりつけ、バタナイフの刃をビスで固定してできあがり。

ぼくはできあがったものをみてまんぞくした。それは、どうみても小鳥用のスケートぐつにしかみえなかったから。

その晩、小鳥ちゃんはスケートぐつを枕元において眠った。

つぎの日、ぼくは会社の帰りに金物屋で金だらいを買ってきた。3センチほど水をはって一晩ベランダにだしておく。

ぼくがお風呂《ふろ》に入っていると、小鳥ちゃんがやってきて、

「水はもう凍ったかしら」

と言う。

「まだじゃないかな」

ぼくが雑誌から顔をあげてこたえると、そう？　と、小鳥ちゃんは不服そうに言う。

「でも外はとても寒いわよ。みてみないとわからないいんじゃない？」

「まだだとおもうな」

ぼくは湯気でへなへなになった雑誌を脱衣所にだし、からだを洗いながらこたえた。

「たらいにはった水というのは、たいてい明け方に凍るものなんだ」

小鳥ちゃんはざんねんそうに「そう」と言い、それでも納得したらしく、おとなしく居間に戻った。

「あたしね、きょうは一日じゅうスケートの練習をしていたのよ」

お風呂あがり、寝室でパジャマを着ているぼくに小鳥ちゃんが話しかける。

「だいぶうまくなったとおもうわ」

「それはよかった」

ぼくはにっこりしてみせた。手も足も清潔にぽかぽかで気持ちがいい。

「でも練習ってどうやって？」

バスタオルで、髪の毛の水気をふきとりながら尋ねると、

「そりゃあ頭のなかでよ」

と、小鳥ちゃんは自信たっぷりに言う。

「練習は頭のなかでするのがいちばんよ」

布団《ふとん》をめくってやると、バスケットのなかにするりと身を横たえ、小鳥ちゃんは言った。

「だって何度も何度も好きなだけできるもの」

読書灯をつけ、ぼくも自分のベッドに入った。

「おやすみ、小鳥ちゃん」

本をひらいて言う。ぼくが本の頁《ページ》をめくる音をききながらでないと眠れない、と、小鳥ちゃんはときどき主張する。だからぼくは読まなくても本をひらく。ゆ

っくり、ゆっくり頁をめくる。

数分後、かすかだけれど規則ただしいかわいらしい寝息がきこえてくる。


翌朝、水はすばらしい様子で凍っていた。すばらしく白くつめたく、すばらしくかたくきちんと。

小鳥ちゃんは目をかがやかせた。くつをはかせてやるとこわごわ氷の上に立ち、胸をふくらませて、

「いい匂《にお》い！」

と言う。

「匂い？」

ぼくも深呼吸をしてみたが、冬の朝の匂いがするだけだ。

「そうよ。あたしのスケートリンクの匂い」

小鳥ちゃんは言い、慎重に最初の一歩を踏みだした。片足をまえにだし、すー

っとすべってそのままとまる。また片足をまえにだし、すーっとすべってそのままとまる。

「すてき」

うれしそうに小鳥ちゃんは言う。きのうの練習の成果があらわれて、ほどなくすいすいすすみ始めた。

「みてみて」

小鳥ちゃんはスピードをだしたりゆるめたり、くるくるまわったり片足をあげたりする。朝ごはんの準備ができても、まだくるくるまわっている。

その夜、ぼくはなかなかねつかれなかった。何度も寝返りをうち、羊を数えたり退屈な本を読んだりしてみたが、まるでだめだった。

仕方なく、ぼくはいったん眠るのをあきらめておきあがり、ガウンを着てベッドからでた。

「眠れないの？」

うしろから小鳥ちゃんの声がした。眠っているものとばかりおもっていたのでぼくはおどろいた。

「ごめん。おこしちゃった？」

音をたてないよう、じゅうぶんに注意しておきあがったつもりだったのだけれど。

「ちがうの」

小鳥ちゃんはバスケットのなかに横たわったまま言った。

「あたしも眠れないの」

小鳥ちゃんはいつもねつきがよく、一度眠ると朝までぐっすり眠る。ぼくはちょっとおどろいたけれど、

「ぐうぜんだね」

と言ってにっこりしてみせた。小鳥ちゃんが不安そうだったからだ。

「お茶でものむ？」

ぼくが訊《き》くと、小鳥ちゃんは小さくうなずいた。

小鳥ちゃんのお茶というのは水だ。ぼくは自分用に熱い紅茶をいれて、小鳥ちゃんのコップはつめたい水でみたした。

小鳥ちゃんは水しかのまないのだが、ぼくののみものとおなじ名前で呼びたがる。だからぼくがコーヒーをのむときには小鳥ちゃんの水はコーヒーだし、ぼくがワインをのむときは、小鳥ちゃんの水はワインという名前になる。

しずかな夜だった。台所のヒーターの、ときおりかたかたいう音が耳につくくらいに。

「考えごとをしてたの？」

小鳥ちゃんに真剣な顔で尋ねられ、ぼくはとまどった。

「いや、そういうわけじゃないんだけど」

そう、と、小鳥ちゃんは言い、ぼんやり窓の外をみる。

「きみは？　考えごとをしてたの？」

ええ、と言って、小鳥ちゃんは窓の外をみたままうなずいた。ぼくの知らない小鳥ちゃんのようだった。


よく晴れた土曜日、目がさめて、洗面所にいくと、天井から水がもれていた。

「なんだ？」

パジャマにローブをはおっただけの姿で、ぼくはぽかんと口をあけた。天井にはじんわりとしみがひろがり、床には水たまりができている。

「なんだ？」

もう一度言った。

ぼろタオルで床をふき、歯をみがいて顔を洗う。そのあいだにも水はついついと規則ただしく落ちてくる。かなりの量だ。

ぼくはそこにバケツをあてがうといそいで着替えをし、上の階にかけつけた。

真上には初老の夫婦が住んでいる。おくさんは花が好きで、小さなベランダを植木鉢でいっぱいにしている。だんなさんはながいこと学校の先生をしていたらしい。

玄関のブザーを鳴らして待つ。

「はい?」

ドアをあけたのはおくさんだった。土曜の午前中だというのに、すっかり身仕度がととのっている。

「おはようございます。階下《した》の洗面所に」

ぼくが用件をきりだしかけたとたん、おくさんは飴《あめ》をのどにつまらせたみたいな顔になり、

「大変!」

と言ってお風呂場にとんでいった。バスタブにお湯をためようとしていたことを、すっかり忘れていたのだ。

「ほんとに申し訳ありません」

おくさんは何度もそう言ってあやまった。

「大丈夫ですよ、ご心配なく。ただのお湯なんですから、かわけばもとどおりです」

ぼくは言ったが、おくさんはまだすまなそうな顔をしている。

「どうしたんだい?」

そのとき奥から声がして、だんなさんがあらわれた。今度はぼくが、飴をのどにつまらせたみたいな気持ちになった。だんなさんの肩に、ちょこんと小鳥ちゃんがのっているのだ。

「うっかりお風呂のお湯をだしっぱなしにしちゃって、このかたのお部屋を水びたしにしてしまったの」

おくさんが言う。

「いえ、水びたしなんかじゃありませんよ。ほんの水たまりくらいです」

ぼくは説明した。説明しながら、小鳥ちゃんから目がはなせなかった。

「まあなかに入っていただいたら」

だんなさんが言う。

「ああそうね、あたしったらぼんやりして。さあどうぞお入りになって。ちょうどママレードを煮たところなんですよ。ああきっといくつもいっぺんにやろうとしたのがいけなかったのね」

居間はあたたかく、枯葉色のソファがおかれ、テレビがついていた。クイズ番組だ。

ぼくはお茶をごちそうになった。ママレードをつけたうすいトーストも。小鳥ちゃんは、ぼくなどみたこともないように、知らん顔でだんなさんの肩の上にのっている。

「あのう」

おもいきってぼくは口をひらいた。

「その小鳥、おたくで飼っていらっしゃるんですか?」

「ええ」

とだんなさん、

「いいえ」

とおくさん。ぴったり同時だ。

「飼ってるってわけじゃないんです」

結局おくさんが言った。

「ときどき遊びにくるんですよ。ママレードを煮た日にはとくに」

でも飼ってるのとおなじようなものじゃないか、と、だんなさんが横で不服そうに言う。

「すごくなついてるんですよ。わたしの肩が好きらしい」

ぼくは、なぜだかひどく傷ついた気持ちになった。

「元気ないのね」

車を運転しながら彼女が言った。

「こんなにいいお天気の土曜日なのに」

しゃれた店のならぶひろい通りを北上し、公園のなかを通って川ぞいの道を戻るのは、彼女の気に入りのドライブコースだった。

「どこかでお茶をのむ?」

いや、と、ぼくはみじかくこたえた。

「博物館にいってみる?」

博物館は公園の北のはずれにあり、恐竜の模型とか、くじらの剥製《はくせい》なんかがおいてある。

「いや……」

そういう気分でもなかった。

「じゃ、スーパーマーケットでお買物する?」

「うーん」

ぼくはあいまいにこたえる。

いきなり車がとまった。

「なんだ?」

びっくりして彼女の顔をみたが、彼女はぼくにはおかまいなしで、エンジンをとめ、イグニションキーをぬく。サングラスをかけた横顔。

「たのしそうにして」

まえをむいたまま彼女は言う。

「たのしくないのなら帰って」

ぼくは困った。急にたのしそうにはできないからだ。かといって帰るのも気がすすまない。

「駐車違反じゃないかな」

フロントガラスごしに道路標識をみながら言ってみた。彼女はため息をつく。

「ごめん」

ぼくはあやまった。

ぼくたちは、そのまま黙って車のなかにいた。ひろい道路、角の雑貨屋、そのまえのベンチ。

「こういうとき、あなたの小鳥ちゃんなら窓からとんでいっちゃうんでしょうね」

彼女が言った。

「羽根があるとすごく便利ね」

同感だった。羽根があれば、ぼくこそとんでいってしまいたかった。

「おりましょう」

彼女が言い、ぼくたちは車をおりた。それぞれの足で。車の両側でドアを閉める音。おもいのほか風がつめたい。彼女はぼくの先に立ち、きびきびした足どりで公園に入っていく。ぼくは、彼女に羽根がなくてよかったとおもった。

夕方うちに帰ると、小鳥ちゃんはもう帰っていた。いつものように玄関にとびだしてくることはせず、窓枠にとまって外をみている。

「ただいま」

ぼくが言うと、

「おかえりなさい」

とだけ言った。

夜ごはんは気づまりなものだった。どちらもあまり喋《しゃべ》らなかったし、小鳥ちゃんが野菜をついばむ気配や、ぼくがワインのグラスを持ちあげたりテーブルに戻したりする音、それに小さな咳《せき》ばらいなんかが、やけに耳についた。

「気をわるくしたのね」

とうとうがまんできずに小鳥ちゃんが言ったのは、ぼくが食後のりんごをむいているときだった。

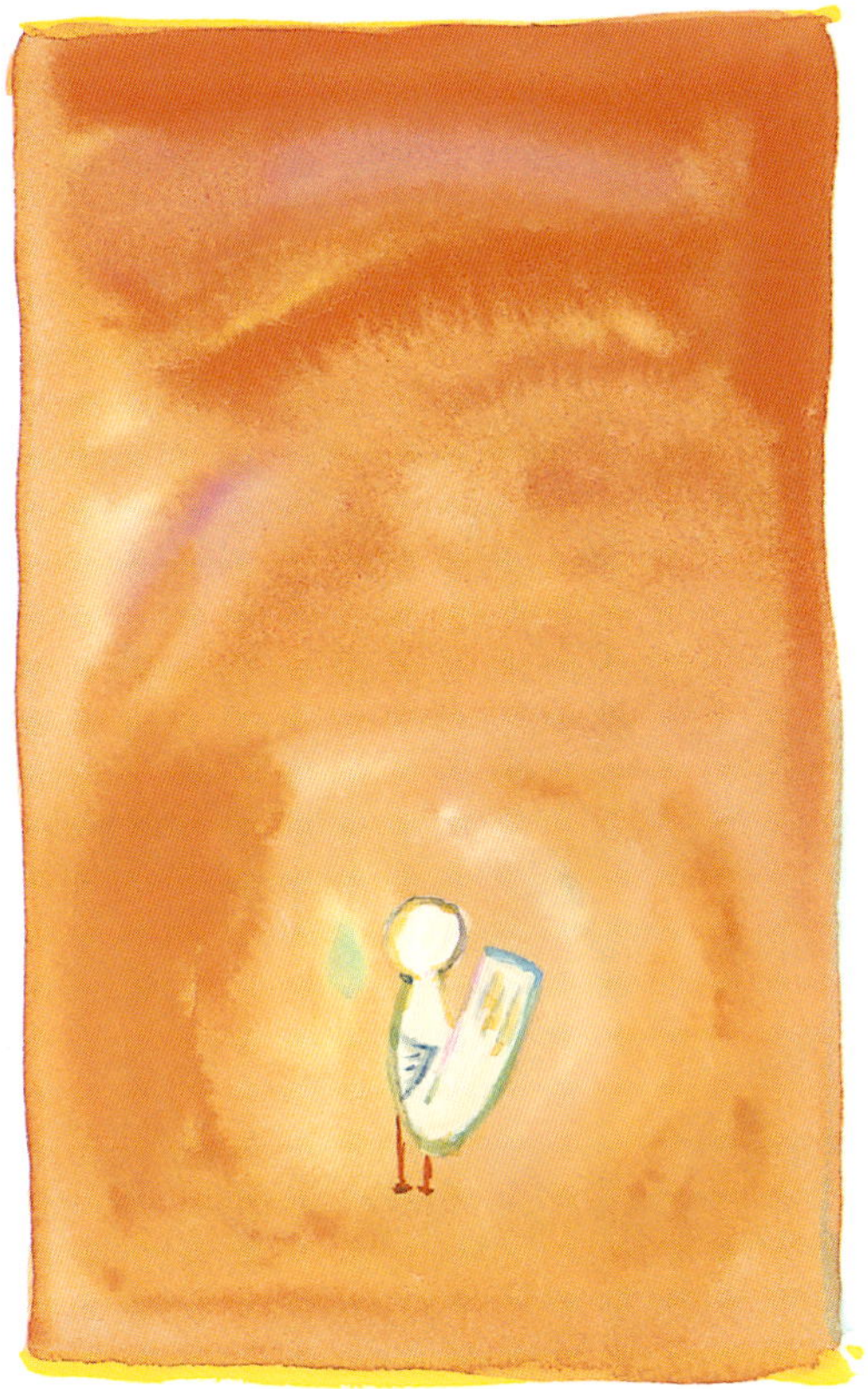

「気をわるくした？　ぼくが？　なぜ」

ぼくはおどろいた顔をしてみせる。

「ほら気をわるくしてる」

小鳥ちゃんは言い、ふいに窓台にとびうつった。

「あのひとたち、いいひとよ」

と言う。

「知ってるよ」

ぼくはこたえた。自分でも不本意だったが、不機嫌な声がでてしまう。

「あたしにおともだちがいるからってすねることはないでしょう？」

「すねてなんかいない」

間髪をいれずにこたえたが、もちろんそれは嘘《うそ》だった。小鳥ちゃんはかなしそうな顔をする。

お風呂《ふろ》あがり、ベッドで本を読んでいると、バスケットのなかで眠っているようにみえた小鳥ちゃんがいきなりむっくりおきあがり、ぼくの顔をみた。かたくあかいくちばし、まっくろな目。

「きょうはあたしが本を読んであげましょうか？」

字なんか読めもしないくせに、小鳥ちゃんは言う。

「自分で読めるよ」

ぼくは言い、それから礼儀上、

「ありがとう」

とつけたした。

「そう」

小鳥ちゃんは言い、いったんバスケットに横になったが、やがてまたむっくりおきだすと、

「あたしはあなたの小鳥ちゃんよね」

と訊く。まじめな顔だ。仕方なくぼくはうなずいた。

「よかった」

小鳥ちゃんは胸をふくらませ、横になって目をとじる。

「おやすみなさい」

「おやすみ」

ぼくは言い、しずかに本をとじる。

翌朝、彼女は新聞紙にくるんだ水仙の束を抱えて部屋に入ってきた。

「おはよう」

ぼくの頭にキスをして言う。

「きょうもいいお天気よ」

彼女の運んできた外気の匂《にお》いでそれはわかった。

「こんなところでぐずぐずしていないで、でかけましょ」

彼女はカーテンをあけ、部屋じゅうに白っぽい光をあふれさす。それからさっさと洗面所にいって、持ってきた水仙を花びんにいける。耳元でばたんと音がして、小鳥ちゃんが写真立てをたおす。いつもどおりだ。

戻ってきた彼女はベッドの端に腰をおろすと、布団《ふとん》の上からぼくの足にそっとさわる。

「おきて」

あまい、やさしい声だ。

かたん、と、洗面所で小さな音。やれやれ。

ぼくはおきあがり、彼女のおでこにキスをすると、シャワーをあびて服を着る。

「あのひと随分はやおきね」

小鳥のくせに朝寝坊の大好きな小鳥ちゃんが、洗面所で待ちかまえていて言う。

「まだ七時よ」

彼女は朝はやい街が好きなのだ。朝はやい街をぬけ、白い息をはずませてここにやってくるのが。

「それに」

鏡ごしにぼくをにらんで、小鳥ちゃんはさらに言った。

「あなたたち、なにかというとキスばかりしてるのね」

おこるというより不満な口調だ。

「あたしの口がくちばしだとおもって」

ぼくはおどろいて、それからおかしくなって笑ってしまう。

「きみのくちばしはとてもきれいだよ。ほんとにきれいなすきとおった赤で」

小鳥ちゃんはふくれているが、ぼくとおなじくらい、ぼくたちのいつもどおりをたのしんでいる。台所から、彼女のいれるコーヒーの匂いがただよってくる。

その日は、しかし結局どこへもでかけなかった。大掃除をする、と、彼女が宣言したのだ。

「もうじき春だもの」

まだ寒いけれど、その寒い空気の粒の一つ一つに、たしかに春が含まれている、と、彼女は言う。

ぼくは洗濯を担当した。カーテンもシーツも枕《まくら》カバーも、布という布は手あたりしだい洗う。

「すてき。嵐《あらし》みたいね」

ぼくの肩にとまって洗濯機をみおろしながら、小鳥ちゃんはうっとりと言う。

「あたし、この音も好き」

ぼくの小鳥ちゃんはすこしかわっている。

「一度あのなかに入ってみたいわ」

物騒なことを言うのでぼくはぎょっとした。

「だめだよ。あぶないんだから」

小鳥ちゃんは、さもわかってないなというように、

「知ってるわ」

と言う。

「あたしはそのへんの無知な小鳥じゃないんだから」

洗濯機は、大きな布をつめこまれて普段以上に大きな音をたてている。洗剤の匂いとうずまくしゃぼん水。

「それは失礼」

ぼくは言った。写真立てをたおしたあとで、いつも小鳥ちゃんが言うように。

解説

角田光代

夏の日にひっこしをした。あたらしい家で、大騒ぎして本棚の位置をきめて、本のつまった段ボールを次々と開け、でてくる本をジャンル分けしながら本棚におさめていく。友達に借りっぱなしですでにかえす気のない本や、読んでいることをひた隠しにしたい本は奥にしまいこむ、という、いやらしい作業をしたのち、さらにのこった本を分類する。すなわち、怪奇系ノンフィクションだの、九十年代的（あくまでも的）米小説だの、口語体系詩だのと、わかりやすく分類・収納するわけだが、ふと手にとった一冊『ぼくの小鳥ちゃん』は、どこに、どのように分類すべきか、こまってしまった。

迷った私は、そういうときのつねとして、ひっこし作業を中止し、この一冊をしみじみ読むことにした。

数年前、年齢でいえば私が三十歳になるかならないかのころ、はじめてこのものがたりを読んで、ぎょっとしたのを覚えている。それ以来、『ぼくの小鳥ちゃん』は意地の悪い本として本棚におさまり、あんまり手にとったことがなかった。

意地の悪い本、と、数年前の私が思ったのにはわけがある。

そのわけを説明する前に、私はこのものがたりを読んだすべての女の人（男の人でもいいが、それではちょっと趣旨がかわってしまう）に、質問をしたい。

このものがたりのなかで、あなたは一番だれが好き？

読んでいて気づいたらだれになりきっている？

あなたはだれにもっとも近しいと思う？

あなたがもっともあこがれるのはだれ？

もっともっと、いろいろなこと。

質問形態は無数にあるが、しかし答えの対象となる登場人物は、とてもすくない。

「ぼく」と、そのガールフレンド、そして小鳥ちゃん。もうすこし枠をひろげてみても、ガールフレンドのおかあさん、アパートの上に住む初老の夫婦、それくらい。そしてもちろん、ガールフレンドのおかあさんみたいな人になりたい、とか、老夫婦に感情移入して泣いてしまった、などという答えを私は全然期待していない。つまり、「ぼく」と、ガールフレンドと、小鳥ちゃん。この三人のうち、あなたはだれが好きでだれになりたくて、現実はだれに近いのか、そしてもっともっといろいろなことと、と、質問したいのである。いや、端的に言ってしまえば、小鳥ちゃんと、ガールフレンド。その二者択一でも、質問の本質はまったくかわらない。

それというのも、幾度読んでも、ここに描かれた、「ぼく」とガールフレンドが暮らす日々と、「ぼく」と小鳥ちゃんの日々はけっしてまじわらないような印象を受けるからだ。二人と一羽はそれぞれの存在を認めているのに、不思議と、このものがたりに世界はつねにふたつある。だから、件《くだん》のような質問が出てきてしまうのだ。下世話とわかりつつ。

もうおわかりですね。はじめてこのものがたりを読んだ私は、ガールフレンドの心持ちになったわけである。それで、「小鳥ちゃん」という存在に驚愕《きょうがく》し、その存在を平然と、というよりむしろ積極的にみずからの場所にみとめる「ぼく」に唖然《あぜん》とした。はやい話、むかついたのである。ガールフレンドより無力でちいさくて、かつ、わがままで生意気な小鳥ちゃんに、嫉妬《しっと》したのである。私という人がいるのに！ そんな子を家にあげたりして！と、よく耳にしたり口にしたりするせりふを、心のうちでさけんだのち、私の嫉妬心を微妙に刺激する意地悪な本だと決めつけて、近づかなかったのである。

しかしひっこしの日、段ボールの砦《とりで》のなかで、このちいさな物語を読んで私はさらにとまどってしまった。あれからたった数年しかたっていないのに、ものがたりはまるきりちがう様相を見せている。

記憶のなかで、小鳥ちゃんはとんでもなくわがままで、生意気で、こどもっぽいわりに妙なお色気がある、はずだったんだけれど、今、ものがたりのなかにいる小鳥ちゃんは孤独で、どこかかなしい。「ちっぽけなうしろ姿」はほんとうにかなしい。

わがままさと生意気さは健在だが、それは女の子の特徴として述べる場合、プラスにこそなれマイナスにはならないじゃないか、どうしてそのことに気づかなかったんだ？　それどころか、わがままでも生意気でもない女の子なんて、まったく味気ない、とすら、今の私は思う。

それに、どうして私は小鳥ちゃんを無力でちいさいなんて思ったりしたんだろう？　二人と一羽のうち、自分で何もかもを選べるのは、小鳥ちゃんだけであるのに。

どこからきたのか、どこへいくのか、目指す場所はどこなのか、待っている人はだれなのか、いっさいが不明、あるいは、そんなものを何ひとつ持たない小鳥ちゃんは、そのちいさな羽で、どこへでもいけるし、いかなくてもいいし、だれのもとにも飛んでいける。とんでもなく自由で、解放的だが、そのことの、さびしさや孤独や、心許《こころもと》なさにも気づかないわけにはいかない。

私はかわいらしくも、魅力的にわがままでもないけれど、小鳥ちゃんに奇妙な共感をいだいてしまう。その、さびしさと心許なさと、同時にあじわう自由さと解放感を、知っている気がしてしまうのだ。嫉妬心はもはや刺激されない。私はきっと、以前と違う日々の側面にいるのかもしれない。数年前には知らなかったことを今は知っているのかもしれない。これはそのように、読み手のとても近くに寄り添うものがたりなのだ。

川にかかる橋の上で、小鳥ちゃんと「ぼく」が「いくつかの個人的な話」をするところが私はとても好きで、そこには恋に似た気配が濃厚にただよっている。つまり、自分が何からも切り離されて、家族ももたず家ももたず、どこへでもいけるほど何ももたないただのひとりとして、同じくどこともつながっていない、ちっぽけなもうひとりである相手と、しんと向き合っている感じ。そうしながら、自分がかつてもっていた（はずの）何かについて、真偽など関係なくひそやかに言葉を交わす感じ。

しかしそれを恋と呼んでいいのかわからない。このものがたりは恋を描いたものではけっしてない。その奥にある、もっとつよいかたまりの気持ちを、変換させる言葉がないから恋という鋳型《いがた》に押しこめて、恋に似た、と表現するしかない。

ここに流れている感情もまた、分類できるしろものではないのである。

それから景色。ものがたりが進行している、この場所はいったいどこだろう？見知った場所——たとえばすぐ隣の町とか、こどものころに育った町とか——であるような気もするし、うんと遠い、知らないけれど写真で見たことくらいはある、異国の町みたいでもある。いくつもの童話が存在するような架空の町にも思えて、いや、これは去年私が旅したあの国と何もかもそっくりだ、という気持ちになったりもする。

個性のつよいイラストレーションはときとして、読み手の想像力を限定してしまいがちなんだけれど、不思議と、この本の中のそれらは、限定などしないばかりか、解き放って攪拌《かくはん》する。「ぼく」とガールフレンドがお昼ごはんを食べる公園や食堂、小鳥ちゃんがしずかに祈る教会、スケートリンクや「ぼく」の部屋、言葉を読みつつあるイメージがかたまりそうになると、あかるい色のイラストレーションが、ふとそれをくずす。そして、型にはまったイメージとかけ離れた光景を提供する。それにしたがって光景やイメージを組み立てなおしていくのはとても心地よい作業である。かくして、思いもよらない町や部屋が、頭のなかにぽかりと浮かんでいる。

かように曖昧《あいまい》な場所なのに、数ページ読みすすんだ私たちは、たちまち、「ぼく」と小鳥ちゃんの暮らすこの町の空気を吸い、においに慣れ、寒さや、あたたかさをじかに感じることができる。そればかりか、スケートリンクや博物館、川にかかる橋やおいしい食べものを出す食堂まで、どこにあるか知っているような気になっている。

　この町の夜。この町の休日。この町に降る、雪の感じと灰色の空。ページをめくって言葉を追ううち、ものがたりの町は私たちそれぞれの内に、立体的に、奥行きと目印とをもって、立ちあがり構成される。そうして、その町に、ぽつりぽつりとあかりが灯《とも》るみたいに生活が見えてくる。

　パンを食べて髪をとかして、仕事にいってお昼ごはんを食べて、ちょっとしたことで諍《いさか》いをして、休日には遊びにいって好きな人とキスをして、眠る。ガールフレンドがくりかえす日々、「ぼく」が小鳥ちゃんとくりかえす日々、なんでもないことのつみかさねなのに、それはいつのまにか、華奢《きゃしゃ》なガラス細工みたいに思えてくる。こわれやすそうで、かと思ったら案外頑丈で、うつくしくて、用はなさないのに手放すことのできない、そんないとしいものに。

　ひっこし途中の夏の日、段ボールの真ん中で、だらだら汗をかきながら、私はいつの間にか雪を見ていた。私がすでに知っている町に降る、しずかな雪。そこには、「ぼく」の「くつがた」と小鳥ちゃんのちいさな足跡がずっと続き、遠く食堂のあたたかいあかりが灯り、何かたのしげな音楽が聞こえてくる。

いつまでもそれにうっとりしてもいられないので、私は立ち上がり、ここで私のくりかえす日々も、きっと「ぼく」と小鳥ちゃんのそれと同様にいとしいものであるはずだと、そんな気になって、意気揚々と本を本棚に押しこむ作業の続きをはじめる。

人も、まして気持ちも、分類などせずに、そのまま解き放ったほうがときとして心地いい、といさぎよく告げているこのものがたりを、わきによけておく。一番最後、そこだけ空けておいた、手近な位置にそっとしのびこませるために。もちろんそれは、本棚だけの話ではない。

（二〇〇一年十月、作家）

この作品は平成九年十一月あかね書房より刊行された。

江國香織著

きらきらひかる

二人は全てを許し合って結婚した、筈だった……。妻はアル中、夫はホモ。セックスレスの奇妙な新婚夫婦を軸に描く、素敵な愛の物語。

江國香織著

こうばしい日々

坪田譲治文学賞受賞

恋に遊びに、ぼくはけっこう忙しい。11歳の男の子の日常を綴った表題作など、ピュアで素敵なボーイズ&ガールズを描く中編二編。

江國香織著

つめたいよるに

愛犬の死の翌日、一人の少年と巡り合った女の子の不思議な一日を描く「デューク」、デビュー作「桃子」など、21編を収録した短編集。

江國香織著

ホリー・ガーデン

果歩と静枝は幼なじみ。二人はいつも一緒だった。30歳を目前にしたいまでも……。対照的な女性二人が織りなす、心洗われる長編小説。

江國香織著

流しのしたの骨

夜の散歩が習慣の19歳の私と、タイプの違う二人の姉、小さな弟、家族想いの両親。少し奇妙な家族の半年を描く、静かで心地よい物語。

江國香織著

絵本を抱えて 部屋のすみへ

センダック、バンサン、ポター……。絵本という表現手段への愛情と信頼にみちた、美しい必然の言葉で紡がれた35編のエッセイ。

江國香織著

すいかの匂い

バニラアイスの木べらの味、おはじきの音、すいかの匂い。無防備に心に織りこまれてしまった事ども。11人の少女の、夏の記憶の物語。

川上弘美著　山口マオ絵

椰子・椰子

春夏秋冬、日記形式で綴られた、書き手の女性の摩訶不思議な日常を、山口マオの絵が彩る。ユーモラスで不気味な、ワンダーランド。

文・辻仁成　絵・望月通陽

ミラクル

僕はママを知らない。でも、いつもどこでもママを探しているんだ——。優しい文と絵でかつての子供たちに贈る愛しくせつない物語。

辻仁成著

海峡の光

芥川賞受賞

函館の刑務所で看守を務める私の前に現れた受刑者一名。少年の日、私を残酷に苦しめた、あいつだ……。海峡に揺らめく、人生の暗流。

庄野潤三著

プールサイド小景・静物

芥川賞・新潮社文学賞受賞

突然解雇されて子供とプールで遊ぶ夫とそれを見つめる妻——ささやかな幸福の脆さを描く芥川賞受賞作「プールサイド小景」等7編。

庄野潤三著

庭のつるばら

丘の上に二人きりで暮らす老夫婦と、たくさんの孫、ピアノの調べ、ハーモニカの音色。「家族」の原風景を紡ぐ、庄野文学五十年の結実。

梨木香歩著

裏庭

児童文学ファンタジー大賞受賞

荒れはてた洋館の、秘密の裏庭で声を聞いた——教えよう、君に。そして少女の孤独な魂は、冒険へと旅立った。自分に出会うために。

梨木香歩著

西の魔女が死んだ

学校に足が向かなくなった少女が、大好きな祖母から受けた魔女の手ほどき。何事も自分で決めるのが、魔女修行の肝心かなめで……。

川上弘美著

古道具 中野商店

てのひらのぬくみを宿すなつかしい品々。小さな古道具店を舞台に、年の離れた4人のもどかしい恋と幸福な日常をえがく傑作長編。

恒川光太郎著

草祭

この世界のひとつ奥にある美しい町〈美奥〉。その土地の深い因果に触れた者だけが知る、生きる不思議、死ぬ不思議。圧倒的傑作！

北村薫著

スキップ

目覚めた時、17歳の一ノ瀬真理子は、25年を飛んで、42歳の桜木真理子になっていた。人生の時間の謎に果敢に挑む、強く輝く心を描く。

北村薫著

ターン

29歳の版画家真希は、夏の日の交通事故の瞬間を境に、同じ日をたった一人で、延々繰り返す。ターン。ターン。私はずっとこのまま？

ぼくの小鳥《ことり》ちゃん

新潮文庫　え-10-8

平成十三年十二月一日発行
平成二十五年四月二十日十四刷

著者　江《え》國《くに》香《か》織《おり》

発行者　佐藤隆信

発行所　株式会社新潮社

郵便番号　一六二―八七一一
東京都新宿区矢来町七一
電話　編集部(〇三)三二六六―五四四〇
　　　読者係(〇三)三二六六―五一一一
http://www.shinchosha.co.jp

価格はカバーに表示してあります。

印刷・錦明印刷株式会社　製本・錦明印刷株式会社

ISBN978-4-10-133918-4 C0193